C'est quoi la mort ?

Aide à la mise en couleurs : Mélou

Loi 49-956 du 16 juillet 1949 sur les publications destinées à la jeunesse
Dépôt légal: premier semestre 2010 — Numéro d'édition: 18675 — ISBN-13: 978 2 226 19547 0
Imprimé en France par Pollina s.a. - L52500A.

Piccolophilo

Michel Piquemal   Thomas Baas

C'est quoi la mort ?

Albin Michel Jeunesse

Chaque jour, quand Piccolo revient de l'école, Bergamote est la première à venir lui dire bonjour.
Elle court le retrouver dans l'entrée. Elle se frotte gentiment contre ses jambes. Il adore ça.

Mais aujourd'hui, Piccolo va goûter et sa Bergamote chérie ne pointe pas le bout de son nez.

Piccolo finit sa compote et se rend compte qu'il n'a pas eu son bonjour. Il crie :
– Bergamote ? Bergamote ? Où es-tu ?

Mais Bergamote ne vient pas.
Alors, vite, Piccolo galope dans la maison à sa recherche.

Bergamote est allongée sur le lit.
Piccolo l'appelle, mais elle ne lève même pas la tête.
Il lui caresse le ventre. Elle ne bouge pas.
Piccolo a très peur. Il sort de la chambre en pleurant et en criant :
– Maman, Maman… Bergamote est morte !

Maman se précipite et prend Bergamote dans ses bras.
– Qu'est-ce que tu racontes ? Elle était simplement en train de dormir !

– Et pourquoi elle ne m'a pas répondu ?
Pourquoi elle n'a pas bougé quand je l'ai caressée ?
– Elle est juste un peu patraque, répond Maman.
Ce matin, elle a été vaccinée. Ce n'est rien ! Ça va lui passer.

Alors Piccolo se couche contre Bergamote pour la câliner.
La chatte miaule doucement.

Deux heures plus tard, Bergamote gambade comme une reine dans la maison.

– Tu vois, dit Maman, elle n'était pas mourante !

Dans le salon, Piccolo attrape au vol la petite chatte grise.
Il la dresse vers le ciel et s'écrie :
– Bergamote est invincible ! Elle ne mourra jamais !
– Le crois-tu vraiment, Piccolo ?

Maman explique :
– Personne n'est invincible ni immortel. Bergamote est un petit chat. Et un chat ne vit pas plus de vingt ans. Quand tu seras très grand, Bergamote ne sera plus là. C'est comme cela. Il faut le savoir et s'y préparer, l'aimer encore plus peut-être…

– Et qu’est-ce qu’elle fera quand elle sera morte ?
demande Piccolo soudain grave. Où elle ira ?
– Eh bien, dit Maman, on la mettra dans une boîte en carton
et on l’enterrera dans le jardin. On mettra un caillou sur sa tombe.
Ainsi, lorsqu’on passera devant, on pensera à elle.
– Moi, dit Piccolo, je ne l’oublierai jamais.

– Quand j'avais ton âge, dit Maman, j'avais un chien.
Il s'appelait Pistache. Je ne l'ai pas oublié.
Piccolo a une idée :
– Prends Bergamote en photo, Maman ; prends-nous tous les deux en photo... Comme ça, on est sûr de l'avoir toujours en souvenir.
Maman prend la photo et Piccolo est heureux.

Cependant, une question vient l'inquiéter :
– Mais toi, Maman… toi, tu seras toujours invincible et éternelle ?
– Oh oh ! dit Maman en riant. Bien sûr ! Je suis invincible
pour mon petit garçon, mon petit Piccolo d'amour…

… Pourtant, ajoute-t-elle, dans très longtemps, quand tu ne seras plus un enfant mais un adulte avec des moustaches, moi, je serai une très vieille dame, très fatiguée, j'aurai terminé ma vie et je mourrai. Tout le monde meurt, Piccolo. C'est ainsi. C'est la loi de la vie. C'est parce que notre vie n'est pas infinie qu'il faut la remplir de bonheur et d'amour.

– C’est nul, la mort ! dit Piccolo. Moi, je veux être grand et fort, être pompier-vétérinaire pour m’occuper des animaux lorsqu’il y a des incendies de forêt…

… Et quand tu seras vieille, Maman, je m'occuperai de toi.
– Oh ! Merci, Piccolo ! dit Maman. Cela me sera bien agréable, de me faire dorloter par mon petit garçon devenu grand. En attendant… je vais faire un peu de musique…

Bergamote ronronne de plaisir. La vie est belle !
– Maman, je vais dehors avec les copains ! On va jouer à Zorro…

L'ATELIER PHILO DE PICCOLO

Petit **grain** de **sel philo**

À l'usage des parents, des enseignants et des éducateurs.

Parler de la mort avec un enfant est délicat et difficile. On serait donc tenté d'éluder le sujet en se disant : « Pourquoi l'embêter avec ces choses tristes qui ne sont pas de son âge ? » Mais c'est l'enfant lui-même qui, très tôt, se sent concerné par la mort et nous interroge. Il perçoit dès son plus jeune âge le grand mystère de l'existence. Nos sociétés occidentales cachent la mort, essaient de l'évacuer du champ des vivants… et cela ne fait qu'attiser la curiosité de l'enfant, voire son angoisse. D'autant que la vie quotidienne donne sans cesse des exemples de la réalité bien tangible de la mort : informations à la télé, deuils dans l'environnement proche, etc.
Il est donc légitime de répondre aux interrogations enfantines. Même si nous n'avons à offrir que nos maigres paroles (car la mort reste pour nous aussi, adultes, LE grand mystère !), c'est toujours mieux que les petits mensonges ou les paroles chuchotées pour ne pas que l'enfant entende. Car les non-dits provoquent souvent inquiétude ou culpabilité. Plutôt que de « zapper » sur les angoisses de l'enfant, nous pouvons le laisser s'exprimer, avec notre parole d'adulte en soutien.
On pourra donc profiter de la mort d'un animal pour amener la question en douceur. La mort fait partie de la vie. Quand elle survient dans le cercle familial, l'enfant résiste d'autant mieux au choc émotionnel qu'il a été préparé, prévenu, et que la notion de mort a été évoquée et discutée auparavant. Quel que soit son âge, l'enfant a aussi besoin d'être associé et de participer au temps et au travail du deuil. Pourquoi dire du défunt qu'« il est parti pour un long voyage » (qui peut induire l'idée qu'il va revenir), qu'« il dort pour toujours » (qui entraîne, hélas parfois, des troubles du sommeil) ou qu'« on l'a perdu » (comme si l'on était responsable de la perte) ?

Certains albums jeunesse abordent ce sujet avec détachement, pudeur et beaucoup de justesse. On conseillera notamment de lire, hors situation de deuil, *Au revoir Blaireau* de Susan Varley (Gallimard Jeunesse), qui, à travers un récit animalier, montre la présence enrichissante dans notre souvenir de celui qui n'est plus.

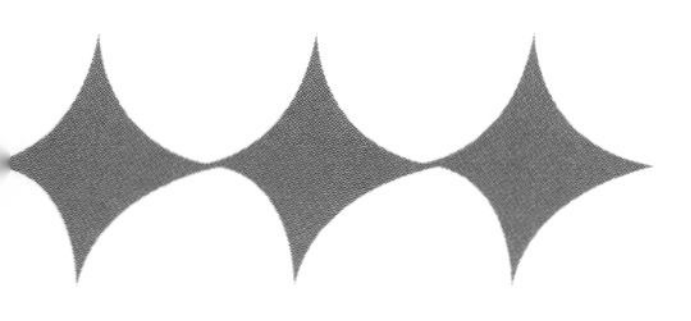

LES **JEUX** DE **PICCOLO**

FABRIQUE TON ARBRE GÉNÉALOGIQUE

Reproduis ce dessin d'arbre sur une grande feuille et fait noter dans ses branches tous les prénoms de ta famille. Cet arbre s'arrête à tes grands-parents... mais on pourrait le continuer à l'infini. Demande à tes parents les noms et prénoms de tes arrière-grands-parents. Et pourquoi pas ceux de tes arrière-arrière-grands-parents, s'ils les connaissent !

Commentaire à l'usage des adultes :

La réalisation de cette activité pourra être l'occasion de montrer à l'enfant le chaînage de la vie humaine. Les hommes meurent, mais la vie, elle, ne meurt pas. Elle se perpétue.

On pourra aussi dire à l'enfant quel était le métier des personnes décédées, évoquer des souvenirs, montrer des photos... afin d'insister sur la permanence du souvenir. Il reste toujours quelque chose d'une personne décédée dans nos cœurs et nos mémoires.

CLASSE CES ANIMAUX SUIVANT LEUR DURÉE DE VIE

Pour connaître la réponse, regarde dans le tableau de la page 30 (Atelier en savoir plus).

un éléphant

une poule

un lapin

une fourmi

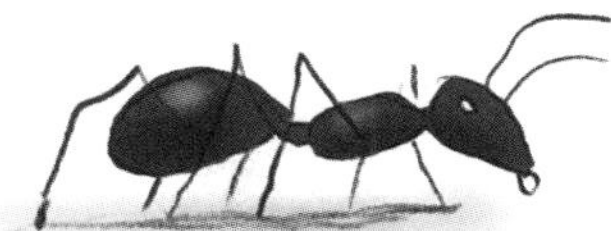

un cheval

PETITE DEVINETTE

Qui marche sur quatre pattes le matin, deux à midi et trois le soir ?

Réponse : L'homme, qui marche à quatre pattes quand il est enfant, sur ses deux jambes quand il est adulte et a besoin d'une canne quand il est vieux. C'est une fameuse devinette de la mythologie grecque, que pose le sphinx à Œdipe !

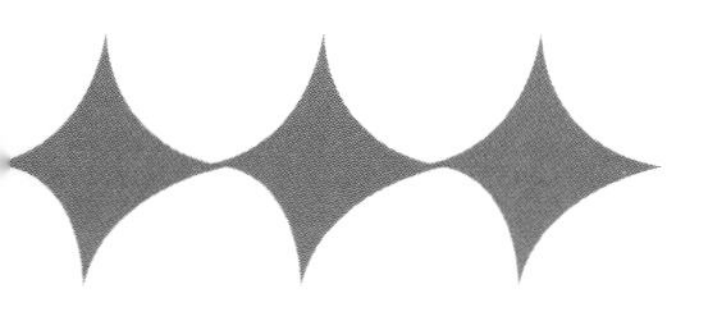

LA **PHILO** EN **QUESTIONS**

✦ ET TOI, DIS-NOUS UN PEU…

Piccolo a cru que sa petite chatte Bergamote était morte et il a eu très peur. Et toi, t'est-il déjà arrivé d'imaginer que quelqu'un était mort? De qui s'agissait-il? Qu'as-tu ressenti?

Lequel de tes camarades a déjà eu un proche parent mort (son papy, sa mamie, son papa, sa maman, son frère…) ? Comment a-t-il raconté l'événement ?

Avec tes copains ou copines,
que dites-vous de la mort ?
Et avec tes parents ?

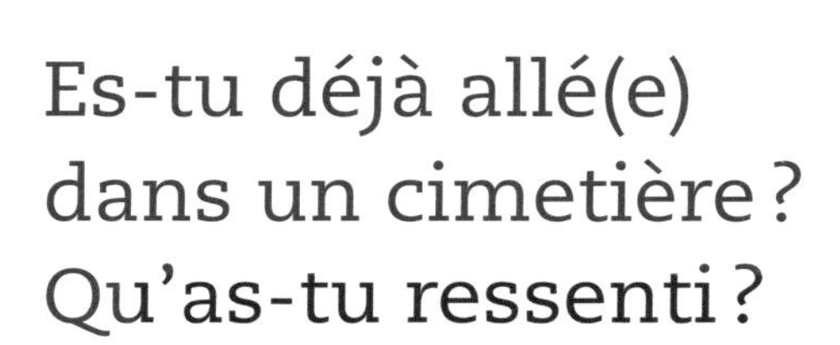

Es-tu déjà allé(e)
dans un cimetière ?
Qu'as-tu ressenti ?

*Qu'est-ce qui te fait peur
quand tu penses à ce sujet-là ?*

L'ATELIER EN **SAVOIR PLUS**

CONNAIS-TU LA DURÉE DE VIE DES ANIMAUX ?

Les animaux ne vivent pas tous aussi longtemps. Il y a une grande différence entre une tortue de terre, qui peut vivre jusqu'à 100 ans… et un insecte comme l'éphémère, dont la vie ne dépasse pas un ou deux jours !

Tu trouveras ci-dessous la durée de vie de quelques animaux que tu connais bien. Mais ce sont des moyennes, car cela peut beaucoup varier d'un animal à l'autre de la même espèce. Par exemple, certains animaux vivent plus longtemps en captivité que dans la nature. Pour d'autres, c'est le contraire. Et certains oiseaux vivent plus vieux s'ils ont un copain ou une copine dans la même cage… Penses-y si tu as des canaris ou des chardonnerets…

La guêpe : 1 an
La poule : entre 2 et 4 ans
Le hamster : 3 ans
La souris : 3 ans
La fourmi ouvrière : 6 ans
(mais la fourmi reine peut vivre 15 ans)
Le lapin : 7 ans
Le cochon : 8 ans
Le cochon d'Inde : 8 ans
Le renard : 9 ans
Le lézard : 12 ans
Le canari : 15 ans
Le pigeon : 20 ans
La tortue d'eau : 20 ans
L'oie : 25 ans
Le cheval : entre 20 et 30 ans
Le lion : 25 ans
L'hippopotame : 30 ans
Le perroquet : entre 30 et 100 ans suivant les races
L'éléphant : 70 ans
La baleine : 90 ans

✦ ET CELLE DE TES ANIMAUX DOMESTIQUES PRÉFÉRÉS ?

Le chat peut vivre en moyenne entre 15 et 20 ans.
Le chien, entre 10 et 20 ans.
À 20 ans, on peut donc les considérer comme très vieux. C'est pour cela qu'on dit parfois qu'il faut multiplier leur âge par 7 pour le comparer à celui des humains.

Les records :
Le chat le plus vieux du monde est un siamois.
Il vit en France et a 34 ans.
Le chien le plus vieux du monde s'appelle Chanel, il a 21 ans. Mais il y a déjà eu un chien qui a vécu 25 ans. Peut-être ton chien à toi va-t-il battre le record ? En effet, on a constaté que les animaux domestiques vivent de plus en plus vieux (sans doute parce qu'ils sont de mieux en mieux soignés !).

Et pour les êtres humains ?
En France, l'espérance de vie moyenne est de 78 ans pour les hommes et de 85 ans pour les femmes. Bien sûr, il y a des personnes qui vivent bien plus longtemps. Le record de longévité humaine est actuellement détenu par la Française Jeanne Calment, qui a vécu jusqu'à l'âge de 122 ans, 5 mois et 14 jours (elle est morte en 1997).